모닥 최봉익이 판화로 엮은

마을살이 창업 60경

전라도닷컴

마을의 달팽이도 함께 따라하는
'창업 60경'

"공동체가 무엇일까요?"를 물었을 때 시원한 대답을 해주는 사람이 없었다. 거꾸로 '내가 질문을 받는다면 어떻게 대답할 것인가?'가 창업 60경을 엮은 동기다. '창업'이란 자기가 하고자 하는 사업의 기초를 스스로 세우는 일이다.

창업은 인권을 선언하는 일이다. 창업은 생존권을 누리는 일이기도 하다. 도표에 표시된 연두, 파랑, 초록, 주황, 빨강은 연찬의 반복이며 전체 흐름 속에 지속을 의미하는 창신, 정반합, 알토리, 계실평은 시행과정의 이정표다. 중요한 것은 동아리 활동의 시작과 지속성이다. 창업을 화두로 펴내고 있는 이 책이 새롭게 빛을 얻어 마을공동체의 핵심을 일이관지(一以貫之)로 통하는 계기가 되면 좋겠다.

최근 세계 여러 지역에서 주목받고 있는 것이 리빙랩(Living Lab)이다. MIT 미첼(W. Mitchell) 교수의 살아있는 생활 실험실이라는 개념의 리빙랩 이론은 공동체의 다양한 이해관계자들이 소통과 협업을 통해 해결 방법을 찾는 사회혁신 시스템이다.

골목의 쓰레기 문제부터 갈수록 심해지는 대기오염에 이르기까지 우리 사회가 풀어가야 할 모든 문제는 실험 대상이 되고 있다. 주택가 골목, 공원, 병

원, 전통시장, 학교 등 모든 삶의 현장이 리빙랩의 실험실이다.

창업 60경의 주요한 3개 축인 정(正) 반(反) 합(合), 알(알기) 토(토론) 리(정리), 계(計) 실(實) 평(評)에 랩(Lab)을 붙여보면 더 진진한 창업이 이루어질 수도 있을 것 같다.

대나무를 날줄, 소나무를 씨줄로 짜임새를 이룬 푸른 숲을 이르는 말인 죽경송위(竹經松緯)처럼 3개 축을 모니터링과 멘토링으로 네트워크하여 창업하면 공동체에 질 높은 행복이 살아날 것이고 희망이 샘솟는 삶터가 될 것이다.

일자리 문제는 지금의 상황으로 비추어 볼 때 지방의제, 나아가 국가의제다. 사회적 경제는 '함께 경제'라고 한다. 흔히 어떤 일을 시작할 때 끝까지 할 수 있다고 굳게 다짐하지만, 갈등은 어김없이 찾아온다. 함께 하는 일에 익숙하지 않기 때문이다. 딱딱하게 표현하자면 사회적 자본 결핍현상이다. 사회적 자본은 갈등 극복제이다. 따라서 사회적 자본을 쌓는 일이 무엇보다도 중요하다.

정부가 정책을 수립하여 시행할 때, 무심코 수행되는 것 중의 하나가 착각의 동반이다.

정책 시행의 생태계가 조성돼 있고, 정책 시행의 기초역량이 이미 확보된 것으로의 착각이다. 확보된 예산이 고스란히 일선 현장에 투여된다고 해서 도시가 재생되고 일자리가 만들어지는 것은 아니다.

정책 시행의 분위기가 감도는 생태계 조성과 유지, 여기에 기초역량을 갖춘 인적 자원과 시스템 확보를 통한 지속적인 프로그램 가동이 선행되어야 한다. 좋은 거버넌스가 필요한 대목이다. 마을공동체마다 취미동아리, 학습동아리, 창업동아리 등 다양한 동아리들의 활동을 지속적으로 육성하여 네트워킹(networking)하고, 지속적인 모니터링(monitoring)과 멘토링(mentoring)을 해야 좋은 거버넌스라 할 수 있다.

좋은 거버넌스를 위해 정-반-합(正-反-合)이라는 일상의 생활원리를 실천해 보자. 관계증진 요소인 차이 인정, 포용, 배려, 신뢰, 협력 등 사회적 자본을 풍성히 쌓는 과정 속에 개인의 사회적 역량은 함양되고 마을마다 따뜻한 이웃이 형성되는 공동체를 기대할 수도 있으리라.

정(正) 반(反) 합(合)으로 지양(止揚)하고, 알(알기) 토(토론) 리(정리)로 연찬(研鑽)하고, 계(計) 실(實) 평(評)으로 지속(持續)하면 창업의 생존권을 누릴 수 있다.

인공지능산업이 견인하는 4차 산업혁명이 빠르게 진행되고 있다. 그동안 로봇이 하는 일은 제한적이었으나 앞으로 로봇끼리 결합하면서 사람의 일자리를 대신할 미래에 대한 우려가 많다. 이런 우려를 훌쩍 넘어 사람과 로봇도 협업을 해야 한다. 없어지는 일자리보다 새롭게 생기는 일자리가 많을 수 있다는 것이다.

지난 1·2·3차 산업혁명은 그때마다 우려와는 달리 새로운 산업과 일자리를 만들어 왔다. 세 차례의 산업혁명을 통해서 산업의 패러다임이 변하면서 기존의 일자리가 사라지고, 더 많고 다양한 새로운 일자리가 만들어졌다. 이는 4차 산업혁명 시기에도 동일하게 적용될 것이라고 전문가들은 말한다. 사라지는 일자리보다 더 많은 일자리를 만들 수 있다는 점에서 희망을 갖는다.

코로나19로 경제가 어려운 상태라 취업도 어렵고 창업도 어렵다. 창업 환경이 어려운데 억지로 창업에 내몰리면 실패 확률만 높아진다. 따라서 청년, 경력단절 여성, 은퇴자들에게 각각의 적성에 맞는 분야에서 재능과 능력을 발휘할 수 있는 새로운 직업과 직무를 발굴하고 보급할 수 있도록 해야 한다. 이에 스스로 일자리를 창출하고 노동시장에 진입하기 위한 창조적 활동 과정을 밟자는 것이 창업 60경의 핵심이다.

일자리의 속성은 지속이다. 지속은 연속과 비약이다. 질 좋은 비약이 창신(創新)이고 창직(創職)이며 창업(創業)이다. 학습동아리를 꾸려 창업 60경의 창신, 알토리, 계실평, 창직의 연찬 과정을 진지하게 마치고 나면 신념과 용기와 열성이 생기리라 믿는다. 이후 프리랜서로 활동하거나 기업에 취업하거나 새롭게 기업을 설립하는 창업을 하거나 다양한 형태로 자기 운명의 주인공이 될 수 있을 것이다.

끝으로, 이 책이 세상에 빛을 볼 수 있도록 기꺼이 함께 걸음 해주신 전라도닷컴의 황풍년 대표와 남신희 기자, 글을 모아 다듬어 주신 김경일 (사)푸른길 이사장과 윤미혜 선생, 그리고 광주지속가능발전협의회 윤희철 총장과 오진희 팀장께 심심한 감사의 말씀 올린다.

아울러 이 책을 읽기에 주저하지 않을 용기 있는 독자들이 삶의 전환점을 이룰 수만 있다면 더는 바랄 것이 없다.

2020년 가을

모닥 최봉익

차례

0 창신 과정　 1 정반합 과정　 2 알토리 과정　 3 계실평 과정　 4 시행 과정

0-1	0-2	0-3	0-4	0-5	0-6

0-7	0-8	0-9	0-10	0-11	0-12

0-13	0-14	0-15	0-16	1-17	1-18

1-19	1-20	2-21	2-22	2-23	2-24

3-25	3-26	3-27	3-28	0-29	0-30

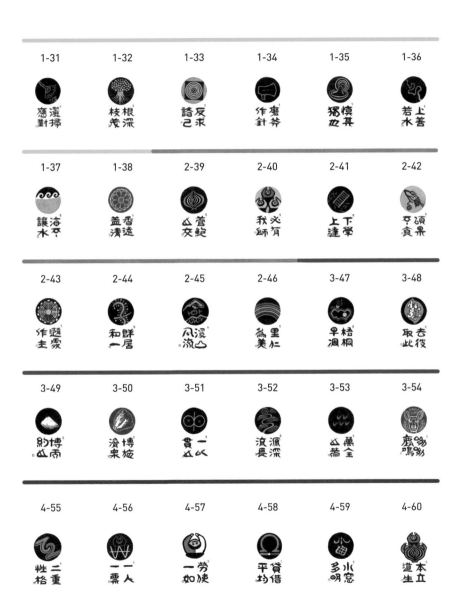

'마을살이 창업 60경' 활용법

1. 먼저, 학습동아리를 꾸린다.

2. 정반합으로 일상의 생활원리를 실천하여 사회적 자본을 쌓는다.

   나와 상대가 상반되는 갈등을 정과 반이 배제되고 합으로 융합하는 정1-반1-합1, 정2-반2-합2, 정3-반3-합3으로 독단과 독선을 지양(止揚)한다. 관계증진 요소인 차이 인정, 포용, 배려, 신뢰, 협력 등 사회적 자본을 풍성히 쌓는 과정 속에 개인의 사회적 역량은 함양되고 마을마다 따뜻한 이웃이 형성되게 한다.

3. 알토리로 연찬한다.

   만인은 철인이라 믿고 마을알기, 마을토론, 기록정리하는 알4-토4-리4, 알5-토5-리5, 알6-토6-리6로 마을공동체를 연찬(硏鑽)하면서 마을자원을 발굴, 갈무리하고 마을의제를 설정하여 실천계획을 세워 추진한다. 마을공동체를 형성하면서 사회적 경제 생태계를 조성한다.

   마을브랜드를 자아내 마을공동체 자산으로 공유하는 과정 속에 사회적 경제 생태계가 조성돼 사회적 경제 운용의 실마리가 잡히고 나아가 마을공동체 비전이 생겨난다.

4. 계실평의 사회적 회계를 지속하면 창업이 이루어진다.

지금까지의 학습동아리 활동을 창업동아리 활동으로 전환하여 계획, 실천, 평가하는 계7-실7-평7, 계8-실8-평8, 계9-실9-평9, 계10-실10-평10, 계11-실11-평11, 계12-실12-평12를 과정기록에 충실한 사회적 회계와 함께 창업동아리 활동을 지속하면 자신들의 잠재역량이 발휘되어 창업이 이루어져 마침내 스스로 사업을 일궈낸 자기 운명의 주인공이 된다.

0 창신 과정

禮失求
野

예실구야 마을

예절을 잃으면 자연에서 찾는다

법을 잃으면 자연의 질서에서 찾는다. 예법은 인간과 자연을 조화시키는 큰 책임을 갖는다. 도시에서 마을공동체 형성하기, 마을공동체 회복하기, 도시 재생에서 과정 중심의 가치를 지향하는 모니터링 시스템 운영하기는 무엇보다도 사명감이 필요한 부분이다.

산의 흐름과 물의 흐름 같은 자연의 질서를 일상적으로 학습하며 배려와 협력을 실천할 일이다.

全羅左道 光州

전라좌도 광주

전라좌도 광주, 고지도의 메시지다

1872년 전라감영의 이름 모를 한 화원이 그린 것으로 추정되는 광주의 옛 지도 〈전라좌도 광주〉다.

얼핏 보면 파인애플처럼 보이는 이 지도는 마치 꽃이 피어나듯 개화(開花) 원리로 그려진 한 폭의 진경산수(眞景山水)다. 이 시대를 살아가고 있는 우리에게 이 옛 지도가 전하는 의미는 웅숭깊다.

먹빛으로 상징되는 수묵의 시대에 '왜, 녹색의 지도냐'라는 점이다.

이를 당시의 관점으로 미루어 짐작해 보면 미래 광주를 새롭게 살펴보는 광주 광합성운동의 메시지라는 생각이 든다.

광합성운동의 원리와 방법에서 도시공동체 창조 철학을 배우고, 도시 경쟁력을 확보하는 지혜를 찾을 일이다.

'광주답게'라는 가치를 꾸준히 발현해 가고, 정정당당한 광주공동체를 지속적으로 일구라는 희망의 메시지라 믿어진다.

지금은 사라지고 없는 도시 호수 경양호, 도시 동산 태봉산, 도시 숲이었던 유림수의 모습이 생생하게 담겨 있는 이 옛 지도는 이 땅의 역사와 터무늬를 기억하게 하는 광주 도시재생의 생생한 지표라 할 수 있다.

法古創新

법고창신 마을

/

옛것에서 새로운 것을 발견한다

이 시대를 살고 있는 우리들에게 이 옛 지도가 전하는 메시지는 새롭기만 하다. 옛것을 본받을 때 오늘의 시대상황에 맞게 변화시킬 줄 알고, 새것을 만들 때 법도에 어긋나지 않게 하라는 선현의 당부가 있다.

그동안 나름대로 풍류의 맛에 젖어들어 여러 차례 이 고지도를 목판에 새기고, 잉크를 묻혀 종이에 찍어내 동-서-남-북-중앙에 다섯 빛깔을 입힐 때마다 오롯이 가슴에 담겨진 것이 있다.

그것은 다름 아닌 식물의 광합성운동처럼 함께 사는 마을공동체 만들기에 대한 사명과 다짐이다.

光合成

광합성 마을

광합성운동 하는 마을이다

광주는 빛고을이다. 역사적으로 나라가 소용돌이 칠 때마다 광주는 정의의
깃발을 들고 정정당당하게 사는 세상 만들기에 나섰다.

사람과 달리 식물은 햇빛을 받아 뿌리에서 올라온 물과 공기 중의 이산화탄
소를 원료로 이파리에서 광합성운동을 하여 탄수화물을 만들어내고 그 부산
물로 지구상에 산소를 공급한다.

녹색의 이파리를 품고 있는 이 고지도는 식물의 광합성운동에 담긴 창조정신
과 파트너십이 발휘되는 '좋은 거버넌스'로 지속가능한 마을공동체를 세우
라는 메시지다.

開花真景

개화진경 마을

/

꽃이 피어나고 있는 마을이다

꽃은 암술, 수술, 꽃잎, 꽃받침으로 이루어져 있다. 꽃잎은 꽃의 내부기관을 둘러싸서 암술과 수술을 보호하면서 열매를 맺게 하는 창조자이고 생산자이면서, 더불어 아름다움을 연출한다.

이는 마을공동체성에 기초한 사회적 경제 운용과 문화중심 마을창조 원리가 담겨 있는 희망의 메시지다.

共同體

공동체 마을

지역공동체는 마을공동체를
지속적으로 일구는 일이다

고지도가 주는 메시지는 마을마다 마을공동체 구성 요소를 차근차근 확보하
는 일이다.

공론장과 마을총회가 있는 마을정치, 마을기업과 협동조합이 있는 마을경
제, 공동육아와 지역안전망이 있는 마을복지, 평생교육과 마을축제가 있는
마을문화 등이 마을공동체 구성요소들이다.

마을마다 주민들이 내가 살고 있는 마을에 관심과 애착을 갖는 가운데 마을
을 연찬하고 마을의제를 실천하고 마을 브랜드를 공유할 때 비로소 지역공동
체라 할 것이다.

동아리

동아리 마을

지역공동체 모습은 동아리 활동으로 보여진다

중앙정부나 지방정부가 정책을 수립하여 시행할 때, 무심코 끼어드는 것 중의 하나가 착각의 동반이다.

정책 시행의 생태계가 조성돼 있고, 정책 시행의 기초역량이 이미 확보돼 있는 것처럼 착각하는 것이다. 확보된 예산이 고스란히 일선현장에 투여된다고 해서 도시가 재생되고, 일자리가 만들어지는 것은 아니다.

정책시행의 생태계 조성과 유지는 물론, 기초역량 확보를 위한 섬세한 프로그램의 가동이 선행되어야 한다.

지역공동체 마을마다 취미동아리, 학습동아리, 창업동아리 등 다양한 동아리들을 육성하여 지속적으로 네트워킹(networking)하고, 지속적으로 모니터링(monitoring)하고, 지속적으로 멘토링(mentoring)해야 '좋은 거버넌스'가 이루어질 수 있다.

正反合

정반합 마을

정반합 학습동아리 활동은
사회적 자본을 쌓는 일이다

정-반-합(正-反-合)이라는 일상의 생활원리를 실천한다.

나와 상대가 상반되는 갈등을 빚을 때 정과 반이 배제되고 합으로 융합해야
한다. 正1-反1-合1, 正2-反2-合2, 正3-反3-合3으로, 독단과 독선을 지양(止
揚)해야 한다.

또한, 관계증진 요소인 차이 인정, 포용, 배려, 신뢰, 협력 등 사회적 자본을
풍성히 쌓다 보면 그 과정 속에서 개인의 사회적 역량이 함양되고 마을마다
따뜻한 이웃이 되는 마을공동체를 기대할 수 있다.

알토리

알토리 마을

알토리 학습동아리 활동은 마을공동체를 형성하는
일이고, 사회적 경제 생태계를 조성하는 일이다

마을주민을 포함하여 만인은 철인이라 믿고 마을 알기, 마을 토론, 기록 정리
등 알4-토4-리4, 알5-토5-리5, 알6-토6-리6으로 마을공동체를 연찬(研鑽)
하면서 마을자원을 발굴·갈무리하고, 마을의제를 설정하여 실천계획을 세워
추진한다.

마을브랜드를 만들어 마을공동체 자산으로 공유하는 과정 속에서 사회적
경제 생태계는 조성되고 사회적 경제 운용의 실마리는 잡히며 나아가 마을공
동체 비전이 생겨난다.

計実評

계실평 마을

계실평 창업동아리 활동은
사회적 경제를 운용하는 일이다

지금까지의 학습동아리 활동을 창업동아리 활동으로 전환하여 계획하고, 실천하고, 평가하는 계7-실7-평7, 계8-실8-평8, 계9-실9-평9, 계10-실10-평10, 계11-실11-평11, 계12-실12-평12를 과정 기록에 충실한 사회적 회계와 함께 활동을 지속한다.

그러다 보면 자신들의 잠재역량이 발휘되면서 창업이 이루어져 마침내 스스로 사업을 일궈낸 자기 운명의 주인공이 된다.

거북이

거버넌스 마을

마을공동체는 좋은 거버넌스로 일궈진다

주민의, 주민에 의한, 주민을 위한 마을공동체를 만들기 위해 행정이 할 일은 마을만들기 주체들의 파트너십 구축에 적극 협력하는 일이다.

물 한 방울 없는 벽을 쉬지 않고 오르는 담쟁이처럼 주민, 행정, 전문가, NGO의 진정한 파트너십을 함께 구축해야 한다.

파트너십을 구축하는 과정에서 행정의 덕목은 인내와 포용이다. 평소 행정은 요구가 많은 주민을 귀찮은 대상으로 여기거나, 비판과 감시 활동을 하는 NGO에 대해 선입견과 편견을 갖기 십상이다.

그런데 함께 하고 나면 선입견과 편견은 사라지고 진정한 동반자의식이 생겨난다. 동반자의식이 싹틀 때 파트너십은 생겨나고 행정은 신이 난다. 행정이 신나면 마을공동체 만들기 주체들의 파트너십은 상호작용을 자아내 살맛나는 마을공동체를 일굴 수 있다.

真面目

진면목 마을

마을 진면목의 상상이다

상상은 주민들의 공동염원으로 이루어진다.

거리를 걸으면 걸을수록 마음이 평온해지고, 아름다운 상념이 떠오르는 마을에 살고 싶다. 마을을 흐르는 냇물은 맑고, 거리의 간판은 작아서 오히려 눈길을 끄는 마을에 살고 싶다.

골목에는 도란도란 이야기가 피어나 따뜻한 이웃이 있고, 동네마다 개성 있는 표정을 담고 초록빛 고향공동체로 회복되는 마을에 살고 싶다.

푸른 숲 풍경 향약이 있어 온통 숲에 묻혀 광합성을 하는 그런 마을에 살고 싶다.

메
시
지

메시지 마을

광주발(發) 메시지는 마을경험칙이다

첫째는 마을학습원리다. ▶ 우리는 더불어 사는 지역공동체를 세우기 위해서 주민 한 사람 한 사람이 중요하다고 믿는다. ▶ 우리는 함께 하는 지속적인 학습활동이 지역공동체 세우기의 기초과정임을 믿는다. ▶ 우리는 지역공동체 세우기 학습과목을 주민들의 일상생활 속 과제에서 찾아야 한다고 믿는다. ▶ 우리는 지역공동체 세우기 학습방법으로 여럿의 생각을 모으는 워크숍이 좋은 방법의 하나라고 믿는다. ▶ 우리는 지역공동체 세우기의 더 좋은 방법이 기록과 함께 실천하는 과정에서 찾아진다고 믿는다.

둘째는 마을공동체 만들기 원칙이다. ▶ 마을주민 참여 ▶ 민주적인 자치 ▶ 계속적인 학습 ▶ 마을자원 활용 ▶ 미래세대 우선 ▶ 네트워크 증진 ▶ 지역사회 책임 원칙이다.

셋째는 마을공동체 연찬방식이다. ▶ 마을 알기 ▶ 토론하기 ▶ 정리하기의 '알-토-리'는 바람직한 마을공동체 연찬방식이다.

넷째는 사회적 경제 창업방식이다. 3~5명으로 동아리를 구성하여 ▶ 지양 ▶ 연찬 ▶ 지속의 나선형 심화과정을 기록과 함께 지속하다 보면 마침내 창업이 이루어진다.

遠者來

원자래 마을

가까이 있는 사람들이 즐겁게 지내면
멀리 있는 사람이 찾아온다

전주는 조선 태조의 본향으로 왕조의 뿌리다. 한옥과 한식, 한복, 한지 등 우
리 문화의 맛이 살아 있는 곳이다. 풍남동과 교동 일대 전주한옥마을은 그 중
심이다. 일제강점기 일본 상인들에 대항해 조성한 한옥촌이 세월 흘러 전주
를 상징하는 마을로 자리매김하였다.

태조의 어진을 모신 경기전, 천주교의 성지 전동성당, 한류 영화와 드라마
의 촬영지 전주향교 등에서 우리 문화의 면면을 만날 수 있다. 근래 들어서는
'한복데이'가 생기면서 한복 차림으로 한옥마을을 오가는 젊은이들이 많다.
전통공연 역시 각광받는다. 공연만 보는 게 아니라 식사나 체험 등을 결합해
한옥마을을 한층 풍성하게 누리도록 한다. 비빔밥, 콩나물국밥 등 지역의 전
통과 색깔이 담긴 먹거리도 빠질 수 없다.

전주한옥마을은 전통과 문화가 융합된 슬로시티다. 그래서 사람들은 전주를
찾는다.

마을마다 도시마다 진면목이 현실적으로 발현될 때 외부의 많은 사람들이 찾
아들 것이다.

○학습 동아리를 꾸려서 正主민고 正교민 研究하여 마음을 분수하고 計業이 이루어진다

計 實 評 計 實

業 [印] 創

창업경 마을

지속가능 발전, 창업 로드맵이다

21세기는 창업의 세기다. 창업은 자기가 하고자 하는 사업의 기초를 스스로 세우는 일이다. 사회적 경제에서 지속가능한 발전의 창업은 지양-연찬-지속 (止揚-研鑽-持續)의 나선형 심화과정을 통해서 이루어진다.

▶정반합 단계는 1단계 사회적 자본 축적으로 정-반-합이라는 일상의 자연 원리를 실천한다. 나와 상대가 상반되는 갈등을 정과 반이 배제되고 합으로 융합하는 정1-반1-합1, 정2-반2-합2, 정3-반3-합3으로 지양을 지향하면서 관계증진 역량 요소인 차이 인정, 포용, 배려, 신뢰, 협력, 책임 등으로 사회적 자본을 풍성히 쌓는다.

▶알토리 단계는 2단계 마을공동체 형성으로 주민을 포함해서 만인은 철인이 라 믿는다. 마을 알기, 마을 토론, 기록정리하는 알4-토4-리4, 알5-토5-리5, 알6-토6-리6으로 마을을 연찬한다. 마을자원을 발굴·갈무리하고, 마을의제 를 설정하여 실천계획을 수립하고, 마을 브랜드를 자아내 마을공동체 자산으 로 공유하면서 사회적 경제 생태계를 조성한다.

▶계실평 단계는 3단계 사회적 경제 운용으로 1~2단계 학습동아리 활동을 창업동아리 활동으로 전환한다.

0
―
15

本立道生

본립도생 마을

기본이 바로 서면 방법이 생긴다

기본이 바로 서면 나아갈 방법이 생긴다. 〈논어〉 학이(學而) 편에 나오는 말이다.

기본은 창업을 위해 꼭 갖춰야 할 본질이고, 문제가 생기면 되돌아와 점검해야 할 본바탕이다. 창업경의 기본 가치는 지양, 연찬, 지속이다.

정-반-합 학습동아리 활동을 통한 사회적 자본 쌓기, 알-토-리 학습동아리 활동을 통한 지역공동체 형성하기, 계-실-평 창업동아리 활동을 통한 사회적 경제 운용하기 같은 동아리 활동은 창업의 기초를 튼튼히 쌓는 일이다.

기본 없이도 시작은 할 수는 있지만 결코 오래 가지 못하고 곧 무너진다. 이는 동서고금의 교훈이다.

1 정반합 과정

無信不立

무신불립 마을

/

믿음이 없으면 바로 설 수가 없다

믿음이 없으면 살아갈 수 없다. 예부터 사람이 더불어 살아가는 데 가장 중요한 덕목이 신뢰라고 했다.

믿음·신뢰는 사회적 자본 중에서도 으뜸 자본이다. 세상사 과하면 탈 날 일이 많지만 신뢰라는 자본은 무한정 쌓아도 탈이 나지 않는다.

함께 더불어 일구는 사회적 경제 시대에 필수적인 밑천으로 사회적 자본인 신뢰를 강조한다.

尺蠖屈伸

52

척확굴신 마을

자벌레의 행동거지로부터 배운다

자벌레가 기어가는 모습을 보면 꼬리를 머리 쪽에 갖다 대어 붙이고 몸을 앞으로 펴서 기어가는데 그 모습이 흡사 자로 치수를 재는 것처럼 보여 자벌레라 했다고 한다.

여기서 핵심은 자벌레의 굽힘과 폄의 '굴신(屈伸)' 메시지다. 자벌레가 몸을 굽히는 것은 장차 몸을 펴기 위함이다. 굽히기만 하고 펴지 않는다면 고요함을 유지할 수 없을 것이요, 펴기만 하고 굽히지 않는다면 움직임을 지속할 수 없을 것이다.

그러므로 곧게 펴기만 하고 굽힐 줄을 모르면 그 곧음을 기를 수가 없다. 자벌레로부터 사회생활의 태도를 배운다.

活私開公

활사개공 마을

/

나를 살려서 공공의 이익을 열어간다

이 말은 고대 그리스의 민주주의에 기초한 상업정신에서 비롯되었다고 한다. 이후 민주주의와 인권, 사유재산을 우선시했던 서양인들이 지속적으로 추구했던 가치관이다.

미국의 독립혁명과 프랑스혁명은 부르주아의 이익을 관철하는 과정에서 일어났던 근대 민주주의 혁명이다. 이 혁명과정에서 만들어진 미국 독립선언문이나 프랑스 인권선언문은 국가가 개인을 위해 존재하는 것이지, 개인이 국가를 위해 존재하는 것이 아님에 대한 선언이었다.

국민 개개인의 이익을 대변하지 않는 국가는 존재할 이유가 없으며 더 이상 국민의 대표일 수 없다. 멸사봉공의 단순한 애국정신 프레임으로는 이 시대를 이끌어갈 수 없다. 중앙정부는 물론 지방정부도 개인의 이익과 행복을 우선시하는 '활사개공'의 가치가 깔린 민주주의적 정책만이 주민의 공감대를 끌어낼 수 있다는 것을 기억해야 한다.

木鶏立德

목계지덕 마을

목계지덕을 지닌 리더가 필요하다

마을공동체를 꾸리는 과정 초기에는 갖가지 말들이 생겨난다. 하지만 리더의 위치에 있는 사람들은 스스로의 평정심을 잃지 않고, 비방과 선동에 민감하게 반응하지 않으며, 자신이 최고라는 헛된 교만에 빠지지 않고, 주위의 호들갑에 태연자약하는 모습을 지녀야 한다.

무엇보다도 나무로 만든 닭처럼 자신의 감정을 스스로 조절하는 카리스마가 리더에게 요구되는 자질이다.

2 알토리 과정

居必擇隣

거필택린 마을

소중한 마을살이 경험칙이다

중국 남북조시대에 송계아라는 사람이 퇴직 후 살 집을 구하러 다녔는데, 지인들이 추천해 준 집은 마다하고 시세가 백만금 되는 집을 천백만금을 주고 사서 이사했다.

그 이웃집엔 공명정대하고 청렴결백한 인품으로 존경받는 인물 여승진이 살고 있었다. 얼마 후 여승진이 송계아에게 굳이 집값을 비싸게 치르고 이사 온 이유를 물었다. 대답은 간단했다.

"백만매택(百萬買宅)이요, 천만매린(千萬買隣)이라."

백만금은 집값으로 지불했고, 천만금은 당신과 이웃이 되기 위해 지불한 돈이란 대답이었다.

좋은 가족이 좋은 이웃을 만들고 좋은 이웃이 좋은 골목을 만든다. 또한, 좋은 골목은 좋은 동네를 만들고 좋은 동네는 좋은 지역을 만든다.

2
21

格物致知

격물치지 마을

사물의 이치를 끝까지 파고들면 앎에 이른다

주자는 모든 사물의 이치를 끝까지 파고들면 앎에 이른다고 말했다. 마음을 바로잡으면 양지(良知)에 이른다.

왕양명은 주자의 이런 가르침을 실천에 옮겼다. 그러나 이치를 명확하게 알아낼 수 없자, 주자의 이론에 의문을 품고 다른 방향에서 궁구하여 다음과 같은 결론을 내렸다.

'격물의 물이란 사물을 가리키는 것이니 사(事)는 일이다. 사(事)란 부모를 모시거나 스승을 섬기는 일과 같이 일체 마음에서 우러나오는 행동이다.'

일을 바로잡고 마음을 바로잡는 것이 바로 격물(格物)이다. 악을 버리고 마음을 바로잡음으로써 사람의 마음 속에 선험적으로 지니고 있는 양심과 지혜를 밝힐 수 있는 것이다. 이것이 바로 치지(致知)다.

주자의 격물치지가 지식 중심이라면 왕양명은 지식의 도덕적 실천을 중시했다. 주자학을 이학(理學)이라 하고, 양명학을 심학(心學)이라고도 한다.

孔子鼓珠

공자천주 마을

공자가 구슬을 꿰다

공자가 아홉 굽이 구멍이 있는 구슬에 실을 꿰지 못해 쩔쩔매다가 뽕밭에서 뽕을 따고 있던 아낙네에게 방법을 물었다.

아낙은 "찬찬히(慎密) 생각해 보라"고만 말했다.

이윽고 공자는 그 말의 뜻을 깨달았다. '찬찬히(慎密)'라는 말의 '밀(密)'이 '꿀 밀(蜜)'과 발음이 같았던 것이다.

공자는 개미를 붙잡아 허리에 실을 묶어 구슬의 한 쪽 구멍에 밀어 넣고 반대편 구멍에서 꿀로 유인하여 구슬을 꿰었다.

이 일화는 모르는 것이 있을 때 자기보다 덜 배웠거나 나이가 어린 사람에게 묻는 것이 부끄러운 일이 아님을 일러주고 있다.

마을공동체 형성 방법은 마을에 살고 있는 주민이 제일 잘 알고 있다. 주민들과 함께 하면서 주민들로부터 배우기를 주저하지 않는다면 마을만들기를 하면서 많은 인적 자원을 발굴할 수 있다.

2
—
23

松茂柏悦

송무백열 마을

소나무가 무성하니 잣나무가 기뻐한다

벗이 잘되는 일을 기뻐한다. 지금 세태는 남이 잘되면 배가 아파 험담을 하고, 남이 못되면 그것 봐라! 하고 고소해 한다. 우리는 이웃을 신뢰하고 배려할 줄 모른다.

남의 경사에 순수하게 기뻐 얼굴이 환해지고 남의 불행에 내가 안타까워 슬픔을 나누던 그 도탑고 아름답던 송무백열의 심성은 다 어디로 사라졌을까? 이를 회복시키는 일이 마을만들기 의제요, 도시재생의 기본과제라고 믿는다.

3 계실평 과정

守約施博

수약시박 마을

지킬 일은 간략하나 이를 지속적으로
시행하면 무슨 일이든지 통한다

진리는 상대방의 가슴을 감동시키기도 하고 머릿속 깊이 남아 인생의 중요한
마음가짐이 되기도 한다.

성인들의 말씀이 기록되어 있는 고전을 보면, 말씀은 간단하지만 그 의미는
깊고 그윽하다.

동아리 구성원들이 창업경의 나선형 로드맵인 정-반-합, 알-토-리, 계-실-
평을 지속적으로 주행하면 창업에 이르러 마침내 자기 운명의 주인공이 되고
평화로운 세상이 만들어진다.

3
25

相資
眾生

상자이생 마을

만물이 서로에게 도움이 되어 삶을 열어간다

인간생활은 공동체적인 삶과 개인의 자유가 조화를 이루는 데서 발전한다.
여기서 중요한 개념이 연암 박지원 선생이 말한 상자이생(相資以生)이다.
사회를 구성하는 각각의 요소들은 존재의 차이가 있는 동시에 각 요소들이
다른 요소의 자원으로 들어가면서 새로운 생성을 만들어 낸다.
각 요소가 다른 요소로 전환되면서 새로운 생성을 이루며 여기서 진보적 과
정을 발견할 수 있다. 상자이생은 협동조합 생성의 본질이다.

3
26

呼吸同時

줄탁동시 마을

무슨 일이든 안팎으로 동시에 함께 노력하면 이루어진다

'줄(啐)'은 병아리가 깨어 나올 때 알속에서 톡톡 쪼는 것을 말하고, '탁(啄)'은 어미 닭이 그 소리를 듣고 밖에서 탁탁 쪼아주는 것을 뜻한다.

원래 줄탁동시(啐啄同時)는 수행하는 제자의 노력과 수행을 도와주는 스승의 깨우쳐 줌이 맞아 떨어져야 비로소 깨달음에 이를 수 있다는 비유로 쓰인 것이다. 후에 무슨 일이든 안팎으로 함께 노력해야 이루어질 수 있다는 의미로 널리 쓰이고 있다.

줄탁동시에도 원칙이 있어야 한다. 첫째는 안이나 밖에서 모두 서로가 돕고 있다는 확고한 믿음이 있어야 한다. 둘째는 쪼을 부위와 쪼아야 할 시기를 제대로 알고 정확히 쪼는 능력이 있어야 한다. 셋째는 고통을 참고 때를 기다릴 줄 아는 인내심이 있어야 한다. 병아리의 탄생 과정을 보면 생명의 존엄, 상호의존, 신뢰 등 우리가 배워야 할 것이 많다. 생명을 가진 모든 존재는 혼자가 아닌 상호의존과 상호보완의 삶이다.

물질적 줄탁동시도 중요하지만 사랑, 관용, 화해, 양보, 나눔, 예절, 역지사지 등 정신적인 줄탁동시가 더 중요하다. 자기계발을 위한 '줄'을 살면서 남을 위한 '탁'의 인생도 살아야 완성을 이룰 수가 있다.

3
27

述而不作

술이부작 마을

사실 그대로 기술할 뿐, 새로 지어내지 않는다

기록자의 겸손한 자세와 사관적 태도를 강조하여 이르는 말이다.

공자의 〈춘추〉와 사마천의 〈사기〉를 비롯한 동양의 역사서와 이조실록 기록은 술이부작(述而不作)의 정신에서 비롯되었다.

교육진행, 사업의 중간평가 등 모니터링에 있어서 모니터의 기본자세이기도 하다. '술이부작'은 사회적 자본을 갈무리하고, 결과보다 과정 중심의 사회적 경제를 견인하는 사회적 회계 기술의 기본자세로 그 활용도가 광범위하다.

3
28

0 창신 과정

光而灭耀

광이불요 마을

빛나지만 번쩍거리지 않는다

자신이 갖고 있는 광채를 너무 빛내려 하지 마라. 자신의 광채를 줄이고 주변의 눈높이에 맞추어야 한다. 조명도 너무 밝으면 사람들의 눈이 그 불빛을 피하려고 한다. 사람도 너무 광채가 나면 다른 사람이 가까이 하기를 꺼린다.

능력과 실력을 겸비했음에도 불구하고 주변사람의 마음을 얻지 못하고 성과를 제대로 내지 못하는 이유는 너무 광채가 눈부시기 때문이다.

자신의 수준에 맞지 않는 사람에 대하여 지나치게 따지고 지적한다거나 주변사람을 초라하게 만드는 눈부신 광채는 결국 사람의 마음을 떠나게 만든다.

일은 능력만으로 되는 것이 아니라 주변 사람의 협조와 마음을 얻어야 멋지게 수행된다. 자신의 능력을 과신하여 오로지 나 아니면 안 된다는 생각으로 일을 하면 그 일이 제대로 수행될 리 없다. 요즘처럼 능력과 재능이 전부인 양 강조되는 세상에 다시 새길 일이다.

和光同塵

화광동진 마을

빛을 감추고 세속에 묻힌다

자신의 뛰어난 지덕을 나타내지 않고 세속을 따른다. 자신의 지혜를 자랑함
없이 오히려 그 지혜를 부드럽게 하여 속세의 티끌에 동화한다. 즉 재덕을 감
추고 세상과 조화하는 것을 의미한다.

진실로 아는 사람은 그 빛, 즉 자신의 지덕과 재능을 감추고 속세와 어울린
다. 이 세상에 배타적으로 존재하는 것은 없다. 그러니 자신만의 빛을 내는
일을 지양하고 다른 빛들과의 관계 속으로 들어가 차이가 드러나지 않게 처
신하는 것이 좋다.

이를 위한 실천으로 정-반-합 동아리 활동을 통한 지양이 수련되어야 할 것이다.
화광동진은 실속 없는 말이나 얕은 지식을 드러내기 좋아하는 사람을 경계
만 하지 말고 이를 포용하라는 가르침이기도 하다. 이를 대표할 만한 인물로
독립운동가이자 병자와 빈민을 위한 사회운동가로서의 삶을 살았던 오방(五
放) 최흥종(1880~1966) 목사를 꼽을 수 있다.

1 정반합 과정

灑掃應對

쇄소응대 마을

물 뿌리고 쓸고 청소하고 부모 말씀을 기다린다

예전 선비들은 늘 책을 읽고 촌음을 아껴서 공부하는 것을 중요한 일로 여겼다. 조선 숙종 때의 문신 임상덕은 침묵을 지키는 것을 공부로 삼는 '수묵공부(守默工夫)'를 했다. 조선 후기 정치 사상계의 거장 송시열은 궤좌(跪坐)공부와 과언(寡言) 공부를 했다. 궤좌 공부는 꿇어앉아서 하는 공부로 정신을 해이하게 하지 않고 마음을 가다듬는 공부이며, 과언 공부는 말을 적게 하는 공부로 분명하게 그 뜻을 알기 전까지는 함부로 입을 열지 않는 공부다.

하지만, 무엇보다 공부에 있어서 가장 앞서는 것은 쇄소응대다. '아침에 일어나면 이부자리를 개고 물을 뿌려 마당을 쓸고 집안 어른이 부르면 얼른 달려가 공손히 말씀을 기다린다'는 이 말은 아무리 훌륭한 공부를 할지라도 인간이 가져야 할 기본적인 덕목부터 배워야 함을 강조하고 있다.

석가모니는 제자 가운데 가장 머리가 둔한 주리반특가에게 먼지를 털고 때를 닦으라며 빗자루를 주면서 비질만 잘해도 깨달음을 얻는다고 했다.

조선 중기 유학자 남명 조식 선생은 퇴계 선생에게 보낸 편지에서 '쇄소응대'를 다음과 같이 말했다고 한다. "물 뿌리고 비질하는 법도 모르면서 입으로는 천하의 이치를 말하고 헛된 명성을 훔쳐서 세상을 속인다."

枝根
茂深

근심지무 마을

뿌리 깊은 나무는 가지도 무성하다

지극히 정상적인 균형을 말한다. 나무에 가지만 무성할 경우 거센 바람을 만나면 나무는 쉽게 넘어진다. 넘어지지 않기 위해서는 뿌리를 깊이 내려 균형을 유지해야 한다.

뿌리가 깊고 튼튼하면 어떤 고난도 견디고 이겨낼 수 있다. 자연의 이치 그대로 사람들의 삶도 마찬가지다. 개인도 조직도 바탕이 튼튼해야 지속가능한 발전을 기대할 수 있다.

反求諸己

반구제기 마을

잘못의 원인을 돌이켜 자신에게서 찾는다

<중용>에 이런 내용이 있다. 공자가 말씀하길, 활쏘기는 군자의 자세와 같은 바가 있으니 화살을 쏘아 과녁 한가운데를 맞추지 못하면 그 원인을 자기에게서 찾으라 했다.

맹자 '공손추상' 편에도 "어진 데 뜻을 둔 사람은 활을 쏘는 것과 같다. 먼저 자기를 바르게 한 다음에야 쏜다. 쏘아서 적중하지 않아도 자기를 이긴 사람을 원망하지 않는다. 그 잘못을 자기에게 돌아가 구할 뿐이다"라고 하였다.

맹자 '이루상' 편에도 '반구제기'가 나온다. 맹자가 말하였다. "사람을 사랑해도 친해지지 않으면 그 인(仁)을 돌이켜보고, 사람을 다스려도 다스려지지 않거든 그 지(智)를 돌이켜보고, 사람에게 예(禮)를 해도 답례하지 않거든 그 경(敬)을 돌이켜 보아야 한다." 행하고도 얻지 못하는 것이 있으면 모두 자신에게 돌이켜 찾아야 하니 자신이 바루어지면 천하가 돌아오는 것이다.

'반구제기'는 돌이켜 자신에게서 찾는다는 뜻으로, 어떤 일이 잘못 되었을 때 남의 탓을 하지 않고 그 일이 잘못된 원인을 자기 자신에게서 찾아 겸허하게 고쳐 나간다면 성공에 다가서게 될 것이다.

磨斧作針

마부작침 마을

도끼를 갈아 바늘을 만든다

중국의 대표 시인 이백의 자는 태백이다. 이백은 10세 때부터 시와 글에서 신동으로 불릴 만큼 재주를 보였지만 공부에는 흥미가 없었기에 아버지가 이백에게 스승을 붙여 상의산으로 보낸다. 하지만 이백은 얼마 안 가 공부에 싫증이 나서 스승 몰래 산을 내려간다.

도중에 이백은 냇가에서 바위에 큰 도끼를 쉼 없이 갈고 있는 노파를 보고 이상하게 여겨 묻는다. "할머니, 지금 뭐 하시는 건가요?"

그러자 노파는 "바늘을 만들고 있다네"라며 "이렇게 도끼를 돌에다 갈다 보면 언젠가 바늘이 되지 않겠느냐?"고 반문한다.

노파의 어이없는 대답에 이백은 크게 웃으며 "할머니, 그 도끼를 얼마나 오래 갈아야 바늘처럼 만들 수 있어요?"라고 묻는다. 노파는 "도중에 그만두지 않고 열심히 갈다 보면 이 커다란 도끼도 바늘이 되는 법이다"라고 말한다.

이에 이백은 중간에 포기하지 않고 끝까지 하면 꼭 결과를 얻는다는 깨우침을 얻고 다시 산으로 올라가 공부에 정진한다. 이후 이백은 자신의 마음이 약해질 때마다 노파의 '마부작침'을 생각하며 학문에 정진했고 대시인이 된다.

창업으로 가는 길목에도 이백의 이야기에 나오는 노파와 같은 멘토가 있다.

신기독야 마을

홀로 있을 때 몸과 마음가짐을 삼가고 조심한다

인생을 살면서 실천하기 어려운 일 중 하나는 남이 보지 않을 때 나 자신을 속이지 않는 것이다. 남들이 보면 잘하는 사람도 남들이 안 볼 때는 나태하고 해이해지기 쉽다. 그래서 남들이 보지 않는 곳에서 더욱 잘 처신해야 한다는 '신독(愼獨)'은 오늘날 우리가 진지하게 돌아보아야 할 철학이다.

대개 사람들은 남이 볼 때는 정중하고, 신중하고, 엄격하다. 그러나 혼자 있게 되면 행동거지가 느슨해지기 십상이다. 신독은 조선조 선비들의 삶의 방식이었다. 조선의 지식인들은 종종 자신들의 호나 공부하는 재각 현판에 '신독'이라는 이름을 붙이곤 하였다. 나에게 엄밀하고, 나에게 엄격하고, 나에게 솔직할 수 있는가는 그들의 가장 중요한 물음 중 하나였다.

남이 보든 안보든 자신에게 떳떳하고 당당하고 진실했기에 그 결과는 명품이 되어 나오는 것이다. 성공은 멀리 있는 것이 아니라, 바로 우리 곁에 있다. 남들이 보지 않는 곳에서 더욱 성실하게 임하고 최선의 노력을 다할 때 결국 많은 사람들의 신뢰와 지지를 얻게 되고, 그 신뢰와 지지가 마침내 성공으로 이어질 수 있기 때문이다. 자신에게 떳떳하고 진실하면 무슨 일에서든 최고가 될 것이다.

若水

上善

상선약수 마을

/

가장 좋은 것은 물과 같다

물은 온갖 것을 가장 이롭게 하면서 다투지 않고, 모든 사람이 싫어하는 낮은 곳에 머물기를 마다하지 않는다. 그러므로 도에 가깝다. 노자의 가르침이다. 살 때는 물처럼 땅을 좋게 하고, 마음을 쓸 때는 물처럼 그윽함을 좋게 하고, 사람을 사귈 때는 물처럼 어짊을 좋게 하고, 말할 때는 물처럼 믿음을 좋게 하고, 다스릴 때는 물처럼 바르게 하고, 일할 때는 물처럼 능하게 하고, 움직일 때는 물처럼 때를 좋게 하라. 그저 오로지 다투지 아니하니 허물이 없다. 노자의 말씀이다.

공동체 활동을 하다가 막히면 물에서 그 지혜를 구할 일이다.

해불양수 마을

바다는 어떠한 물도 사양하지 않는다

모든 사람을 차별하지 않고 포용해야 함을 이르는 말이다.

춘추전국시대 제나라 환공은 임금이 되기 전에 형제끼리 왕위를 다투다 죽을 뻔 했다. 당시 환공에게 화살을 쏘아 암살을 시도했던 사람이 바로 관중이었다. 허리띠가 화살을 막아주어 구사일생으로 살아난 환공은 관중을 용서하였을 뿐 아니라, 최고 벼슬인 승상으로 등용해 제나라를 강대국으로 만들었다.

바다는 크고 작은 물을 가리지 않고 모두 받아들여 넓게 될 수 있다. 산은 크고 작은 돌이나 흙을 가리지 않고 모두 받아들여 높게 될 수 있다.

현명한 군주는 신하와 백성을 귀찮게 여기지 않아 주변에 많은 사람이 모인다. 학자는 배우는 것에 물리지 않아야 현명하게 될 수 있다.

남아프리카공화국 최초의 흑인 대통령이었던 넬슨 만델라는 대통령이 된 후 자신을 탄압했던 정적들을 고루 요직에 등용하였고, '진실과 화해위원회'를 구성하여 흑백차별 시대의 과거사를 청산하였다. 용서와 화해와 타협을 통한 과거청산의 정치를 펼친 만델라는 노벨평화상을 수상하였다.

요즘 우리나라도 진보와 보수, 좌우 갈등이 심각하다. 바다처럼 넓은 마음으로 포용하여 차이를 인정하고 서로의 목소리에 귀 기울일 일이다.

香遠益清

향원익청 마을

/

향기가 멀리 갈수록 더 맑다

사람들은 꽃에 특별한 의미를 부여한다. 국화에는 은일자(隱逸者)를, 모란에는 부귀(富貴)의 뜻을 붙였다. 그런데 연꽃에는 그다지 내세울 만한 의미를 준 사람이 없었다.

중국 북송시대의 대표적 유학자인 주돈이(周敦頤)가 이를 안타깝게 여겨 연꽃이 만개하는 날 붓을 들어 연꽃의 덕을 칭찬했다. 그것이 바로 '애련설(愛蓮說)'이다.

〈진흙에서 나왔으나 더러움에 물들지 않고/ 맑고 출렁이는 물에 씻겼으나 요염하지 않고/ 속은 비었으나 겉은 곧고/ 덩굴지지도 않고 가지를 치지도 않은 채/ 향기가 멀리 퍼질수록 더욱 청아하고 우뚝 깨끗하게 서 있으니/ 멀리서 바라볼 수는 있으되 함부로 다룰 수는 없다…〉

연못에서 이름 없는 풀꽃으로 뙤약볕을 견디던 연꽃이 주돈이에 의해 '군자의 꽃'이라는 애칭을 얻었다. 이후 사람들은 주돈이가 말한 연꽃의 정의에 대해 어느 누구도 토를 달지 않고 공감을 표했다. 주돈이의 말 한마디가 태산 같은 힘을 발휘할 수 있었던 것은 주돈이라는 사람의 인격과 향기 때문이었다.

2 알토리 과정

관포지교 마을

관중과 포숙의 두터운 우정

관중(管仲)과 포숙(鮑叔)의 사귐이다. 포숙은 제나라 환공에게 중원의 패자가 될 생각이 있다면 자기만으로는 부족하다며 관중을 강력 추천했다.

환공은 포숙의 추천을 받아들여 한때 자신을 죽이려 했던 관중을 재상으로 삼았다. 훗날 관중은 포숙을 이렇게 회상했다. "내가 일찍이 곤궁할 적에 포숙과 함께 장사를 하였는데, 이익을 나눌 때마다 내가 몫을 더 많이 가졌으나 포숙은 나를 욕심쟁이라 하지 않았다. 내가 가난한 것을 알았기 때문이다. 일찍이 나는 포숙을 위해 일을 꾀하다가 실패했는데 포숙은 나를 우매하다고 하지 않았다. 시운에 따라 이롭고 이롭지 않은 것이 있는 줄을 알았기 때문이다. 일찍이 나는 여러 차례 벼슬길에 나갔다가 매번 임금에게 쫓겨났지만 포숙은 나를 무능하다고 하지 않았다. 내가 시운을 만나지 못한 줄을 알았기 때문이다. 일찍이 나는 수 차례 전쟁터에 나가 모두 패해서 달아났지만 포숙은 나를 겁쟁이라고 하지 않았다. 나에게 늙은 어머니가 있다는 것을 알았기 때문이다. 나를 낳은 이는 부모지만 나를 알아준 이는 포숙이다."

포숙은 늘 관중의 아랫자리에서 일하였지만, 세상 사람들은 관중의 현명함을 칭찬하기보다 오히려 포숙의 사람을 알아보는 능력을 더 칭찬하였다.

필유아사 마을

세 사람이 함께 있으면 그들 중에 반드시
나의 스승이 될 만한 사람이 있다

어느 날 항탁이란 일곱 살 아이를 길에서 만난 공자가 물었다.

"어떤 산에 돌이 없고, 어떤 물에 물고기가 없느냐? 어떤 문에 빗장이 없고, 어떤 수레에 바퀴가 없느냐? 어떤 소와 말이 새끼를 낳을 수 없느냐? 어떤 불이 연기가 나지 않고, 어떤 나무에 가지가 없느냐?"

항탁이 대답했다. "토산(土山)에는 돌이 없고, 우물에는 물고기가 없습니다. 열린 문에는 빗장이 없고, 가마에는 바퀴가 없습니다. 진흙으로 만든 소나 목마(木馬)는 새끼를 낳을 수 없습니다. 반딧불은 연기가 나지 않고, 마른 나무에는 가지가 없습니다."

이에 공자가 크게 칭찬하고 제자들에게 말했다. "내가 오늘 스승을 제대로 만났구나. 자, 이 아이를 스승으로 모셔야겠다. 경당문노(耕當問奴), 농사일은 농부에게 물어보아야 하는 법이다. 불치하문(不恥下問), 배움에는 지위나, 빈부, 나이, 체면 없이 물어야 하는 법이다. 지위와 체면, 이해타산이 앞서면 출세용 위인지학(爲人之學)과 과시용 장구지학(章句之學)이 되기 쉽다."

"세 사람이 지나가면 그 중에 반드시 스승 삼을 만한 사람이 있다"는 공자의 말처럼 마음을 열고 자세를 낮추면 스승은 언제 어디서나 만나기 마련이다.

下學上達

하학상달 마을

아래로부터 배워 위에 도달하다

낮고 쉬운 것을 배워 깊고 어려운 것을 깨닫는 것을 말한다.

공자가 말했다. "나를 알아주는 사람이 없구나." 자공이 물었다. "어찌하여 선생님을 알아주는 사람이 없다고 하십니까?"

공자가 말했다. "하늘을 원망하지 않고 사람을 탓하지 않으며 아래에서부터 배워 위로 통달하니 나를 알아주는 이는 하늘뿐인가."

공자가 말하는 하학(下學)이란 실천을 통한 수양을 말하고, 상달(上達)이란 인과 의에 통달하는 것을 말한다. 공자는 실천을 통한 수양으로 인과 의에 통달하는 것이 참다운 배움이란 것을 강조했다. 군자는 그렇게 하기 때문에 갈수록 인격이 완성되어 점점 고상해지지만, 재물과 명리에만 마음을 둔 소인은 날이 갈수록 인격이 무너져 인간성이 허물어지고 천박해지는 것이다.

하달이란 재물과 이익에 통달하는 것을 말한다. 옛날의 스승들은 제자들에게 '하학상달'의 학문을 가르쳤는데, 요즘 세상은 '하달'의 기술을 배우려는 이들만 넘쳐난다.

硕果卒食

석과불식 마을

큰 과실은 먹지 않고 씨과일로 남긴다

〈주역〉의 용어가 일상에 많이 쓰인다. 산지박 6효의 '석과불식'도 그 중 하나다. 농부가 아무리 굶주려도 종자인 씨는 먹지 않듯, 아무리 어려워도 미래를 준비해야 한다.

개인에게 석과는 교육과 종잣돈이고, 기업의 석과는 인재육성과 연구개발이다. 미래의 희망은 키워야 한다. 당장 먹고 살 것이 없더라도 석과불식처럼 미래 비전을 남겨 두어야 한다.

호구지책이 힘들어도 석과불식 하듯, 미래 투자나 교육을 해야 한다. 기업도 아무리 힘들어도 직원 교육과 기술 개발을 해야 한다. 그래야 개인이든 조직이든 미래가 있다.

석과불식은 미래의 힘이다. 미래를 보지 못하는 사람이나 조직은 금방 무너진다. 비전이 없는 사람과 조직은 모래성에 불과하다. 비전이 없으면 조금만 힘들어도 금방 좌절하고 무너진다. 현재를 버티는 힘은 꿈과 비전이다.

농부가 굶어죽더라도 씨앗은 먹지 않듯, 아무리 어렵다 한들, 미래를 위한 꿈을 버릴 수 없다. 이 시대에도 석과불식은 여전히 유효하다.

逍遙作主

수처작주 마을

/

어느 곳에 있든 주체가 되자

어느 자리에 있거나 주인공이 되어라. 틀린 말은 아니지만 꼭 그런 의미만은 아니다. 인간관계나 처세술로서 수처작주를 해석할 일이 아니다.

수처작주에 가장 적합한 말을 굳이 찾는다면 '바보처럼 살아라'이다.

한 노인이 새벽마다 약수터에 물을 뜨러 다녔다. 건강관리도 되고 기분도 상쾌하여 그 시간이 무척 행복했는데, 어느 날 이런 생각을 하게 되었다.

'뭔가 좋은 일을 할 게 없을까?'

그래서 길가에 떨어진 쓰레기를 줍기 시작했다. 좋은 일까지 하니 기분이 더 좋았다. 하지만 계속 쓰레기를 줍다보니 쓰레기를 버리는 사람이 눈에 띄기 시작했다. '버리는 놈은 도대체 뭐야?' 그런 생각을 하고부터는 물 뜨러 가는 길이 행복한 길이 아니라 원망하고 미워하는 마음이 일어나는 길이 되었다. 쓰레기를 줍더라도 이런저런 분별심이 없는 상태에서 순수한 마음으로 줍는다면 수처작주를 수행하는 일이 된다. 누가 알아주지 않는다고 서운해 한다면 이 역시 어리석은 마음이다. 어쩌면 예수, 붓다, 노자, 소크라테스는 큰 바보들이었다. 수처작주는 가는 곳마다 이해득실이나 남의 반응을 따지지 말고 '참나'를 드러내면서 '바보처럼 살아라'라는 메시지다.

群居一和

군거화일 마을

/

질서는 예의다

전국시대 순자는 무르익던 중국 통일의 과제에 몰두하여, 군거화일을 지향하는 예의의 실천지표를 제시했다.

이 지표는 군주, 제후, 사대부, 관리, 백성이 각각의 직분에 따라 충실히 일하고, 그 직분에 만족하는 생활 질서를 지키는 것이다. 부국강병이나 인재양성 모두 예의에 의거하여 해결된다고 보았다.

순자는 유가의 입장을 지키면서 통일과업을 수행하는 진나라 입장에 서서 제자백가의 사상을 비판적으로 융합하여 선진사상의 집대성자 역할을 수행했다.

지역공동체 꾸리기는 누가 뭐래도 질서가 관건이다. 5·18민주화운동의 기록물이 유네스코 세계기록유산에 등재된 것도 항쟁의 과정에서 높은 수준의 질서가 유지되었기 때문이다.

2
—
44

계산풍류 마을

계산풍류는 멋있고 맛있다

호방하고 화려한 무등산 둘레 계산풍류는 낭만적 흥취의 멋과 맛을 추구하였다.

송순(1493~1582)의 나이 87세였던 1579년에 면앙정에서 회방연(回榜宴)이 열렸다. 회방연은 과거에 급제한 지 60년이 된 것을 기념하는 잔치다.

이날 잔치의 절정은 제자 정철, 고경명, 기대승, 임제와 같은 당대 최고의 문장가들이 스승 송순을 가마에 태우고 직접 가마꾼이 된 장면이었다. 당시 사대부가 가마를 메는 것은 상상도 못할 일이었다.

포덕취의(飽德醉義, 덕에 배부르고 의리에 취하다)는 계산풍류의 깊은 맛과 멋 중 하나다. 자연을 사랑하고 문·사·철을 즐기는 생활의 여유를 잃지 않았던 호남 특유의 풍류에서 멋과 맛을 찾아 우리의 일상생활로 끌어들이는 일만 남았다.

이인위미 마을

따뜻한 이웃이 있어 인정이 흐르는 동네가 아름답다

마을에 거주하는 어진 사람은 좋은 모범이 된다. 자신이 사는 마을에 어진 사람이 많고, 또한 풍속이 인후하기를 바라는 것은 인지상정이다.

그렇듯 좋은 동네를 찾아가 사는 것도 좋은 일이나, 더 중요한 것은 우리 자신이 좋은 동네 만들기의 주체가 되는 것이다. 공동체문화는 한 사람의 꿈과 비전과 사명에 의해서도 바뀌어질 수 있기 때문이다.

마을 리더가 이런 생각을 갖고 있다면 금상첨화가 아닐 수 없다. 우리는 그 영향력이 크든 작든 자신이 서 있는 곳에서 '이인위미'의 창출자가 되어야 한다.

인간은 서로 영향을 주고받으면서 살아가도록 되어 있다. 그러므로 스스로 어진 이가 되어 자신이 살고 있는 곳을 아름다운 곳으로 만들어야 한다.

3 계실평 과정

早梧
渭桐

오동조조 마을

오동잎은 가을이 오면
다른 나무보다 먼저 시들어 떨어진다

오동잎은 가을이 오면 다른 나무보다 먼저 시들어 떨어진다. 오동나무 잎사귀 하나가 땅에 떨어짐으로써 천하에 가을이 왔음을 알린다. 오동나무 잎이 떨어지는 것을 보고 사람들은 세월의 흐름을 알게 된다.

또 예로부터 오동나무 목재는 사람들한테 귀하게 여겨졌다. 신령스럽다는 봉황새는 오동나무에만 깃들고, 오동나무 열매만을 먹이로 취한다.

소나무나 대처럼 사시사철 늘 푸르지 않아도 오동나무는 비파나무와 함께 군자의 반열에 선다. 세상을 살아가면서 행동거지나 처신에서 자기를 관리할 줄 아는 이런 오동나무를 닮고 싶지 않은가?

$\dfrac{3}{47}$

去取
此役

거피취차 마을

/

저것을 버리고 이것을 취한다

공자와 노자는 인간의 길, 도(道)를 추구했던 철학자라는 공통점이 있지만, 세계에 다가가는 방법이 달랐다. 공자는 극기복례(克己復禮), 즉 자기를 극복하고 예를 따르는 것을 중시했다. 반면 노자는 거피취차(去彼取此), 즉 저것을 버리고 이것을 취하라고 했으니, 바람직한 것을 버리고 바라는 것을 취하라는 뜻이다. 공자는 바람직한 일, 해야 하는 일, 즉 규범적으로 정해진 일을 강조한다는 차원에서 근대성에 가까운 반면, 노자는 바라는 일, 좋아하는 일, 하고 싶은 일에 방점을 찍으면서 현대성에 근접한다.

무언가에 갇히는 순간, 인간은 뻣뻣해진다. 혁신에 성공하는 사람들은 늘 새로운 패러다임에 맞는 판단을 하지 이미 있는 프레임을 지키는 일을 하지 않는다. 움직이는 세계, 변하는 세상에 대해 우리의 판단도 그 변화에 능동적으로 따라가야 한다. 노자는 자기를 천하만큼 사랑하는 사람에게 천하를 맡길 수 있다고 말한다. 자기를 위하는 것은 천하와 대립하거나 초월하자는 게 아니라 그 천하를 더욱 건강하고 행복하게 만들기 위하여 자기의 자발성, 생명력에 집중하는 것이다. 그런 자발적인 개인의 통합으로 마을공동체가 이루어질 때 마을활동은 유기적으로 잘 진행될 수밖에 없다.

3
48

博約
雨此

박이약지 마을

많이 알고 있어도 집약을 못하면 소용이 없다

망망대해 바닷물은 소금을 내포하고 있다. 그렇다고 아직 소금은 아니다. 염전에서 뙤약볕 아래 이리저리 뒤집히면서 수분을 증발시켜야 그 빛나는 결정체가 만들어지고 그때 비로소 소금이 된다.

성인들의 가르침은 사람이 거듭나기 위한 자기 부정의 요구다. 자기 부정을 통한 삶을 거치지 않는 한 소금은 될 수 없다. 박이약지는 창업동아리 활동의 필수과정이다.

3
49

博施濟眾

박시제중 마을

널리 베풀고 민중을 구제한다

"만약 백성에게 널리 베풀고 민중을 구제할 수 있는 사람이 있다면 어떻습니까? 그 사람을 어질다고 할 수 있겠습니까?"

자공(子貢)이 공자(孔子)에게 물었다. 공자는 "그러한 자는 어질 뿐만 아니라 성스럽다고까지 할 수 있다"고 극찬하였으며, 덧붙여 요임금이나 순임금도 그러한 이상을 실현하고자 고심했다고 하였다.

공자는 항상 인을 강조하였는데, 그 구체적 실현 방법의 하나로서 '자기가 서고자 하면 남을 세우고, 자기가 도달하고자 하면 남을 도달케 한다'는 방법을 제시하였다. 이는 휴머니즘에 기초한 민본주의의 이상을 드러낸 말로 그 궁극적인 목표는 '박시제중' 사회의 구현에 있었다.

이는 마을만들기에서 협동조합을 꾸리는 뜻과도 맞닿아 있다.

3
50

일이관지 마을

하나로 꿰다

어느 날 공자가 제자에게 물었다.

"너는 내가 많이 배워서 그것을 모두 기억하는 박학다식한 사람으로 알고 있는가?" "네. 그렇게 생각하고 있습니다만 그렇지 않은가요?"

제자가 반문하자 공자는 말했다. "그렇지 않다. 나의 도는 하나로 꿰어져 있느니라. 나는 한 가지의 생각과 삶의 방식으로 모든 일을 일관해 나가려고 하고 있다."

공자는 산만한 지식을 많이 갖추고 있는 것보다 판단력을 갖춰 흔들림 없이 관철하는 것을 더 높이 평가한 것 같다.

3
—
51

源遠流長深

원심유장 마을

물은 근원이 깊어야 멀리 길게 흐른다

백두산 천지가 면면히 흐르는 압록강과 두만강의 원심인 것처럼, 가막골 용소(龍沼)는 광주와 전남의 젖줄 영산강의 원심이다. 사람은 생각이 깊어야 뜻을 이룬다.

공자는 자나 깨나 지식의 실천을 강조한다. 지자불혹(知者不惑), 지혜로운 사람은 헷갈리지 아니하고, 인자불우(仁者不憂), 어진 사람은 걱정하지 아니하며, 용자불구(勇者不懼), 용감한 사람은 두려워하지 아니한다.

가막골 용소와 함께 늘 광주 시민의 정신세계 줏대 역할을 해주고 있는 무등산은 광주공동체의 원심이다.

3
52

만전지책 마을

실패할 위험이 없는 완전한 대책이다

이순신 장군의 23전 23승은 신화적인 기록이다.

세계 전쟁사에서 백전백승의 명장을 찾기란 쉽지 않다. 게다가 턱없이 열세였던 전쟁에서의 승리였기 때문에 이순신 장군의 영웅 이미지는 수직으로 상승된다.

전쟁은 어디까지나 철저한 현실이며, 장군의 백전백승은 계획-실천-평가, 검토, 검토, 또 검토의 치밀한 준비에 대한 결과였다.

청년실업률 최고치 경신, 일자리 문제 등 이 시대는 전쟁과 다름없다. 승전 전략을 세우고, 병사들 훈련에 성의정심을 다했던 이순신 장군의 리더십은 지금도 여전히 우리에게 유효하다.

예산이 확보되고 투입된다고 저절로 도시가 재생되고 일자리가 만들어지는 것은 아니라는 것이다.

3
—
53

유유녹명 마을

사슴이 사슴 무리를 부른다

'유유'는 의성어이고, '녹명(鹿鳴)'은 사슴의 울음소리라는 뜻이다. 〈시경〉에 나오는 말이다.

사슴은 들판에서 맛있는 먹이풀을 찾게 되면 청아한 목소리로 자신의 친구들을 '유유'(呦呦) 하고 소리 내서 불러들이고 함께 먹는다. 흔히 짐승은 먹이를 발견하면 경쟁자를 내쫓고 혼자 먹거나 숨겨 놓고 다음을 기약하다 썩혀 버리는 경우가 많다고 한다.

그런데 사슴은 먹이를 발견하면 기쁜 마음으로 동료를 부른다.

이 고상하고 이타적인 사슴의 삶을 우리는 본받을 필요가 있다.

$\frac{3}{54}$

4 시행 과정

二重
性格

이중목적 마을

협동조합은 이중목적을 갖고 있다

협동조합은 경제 및 사회적 목적을 지닌다.

협동조합은 목적의 이중성, 조합원의 이중성, 조직의 이중성, 운영원칙의 이중성, 자본의 이중성, 소유의 이중성, 협동조합 간의 이중성을 켜켜이 갖고 있다. 이러한 협동조합의 이중성은 일반 기업과는 차별화되는 매력과 장점으로 그 영향력을 발휘한다.

협동조합의 경제적 목적과 사회적 목적은 동전의 양면과 같은 것이나 건실한 기업으로서 생존능력을 확보하는 것이 협동조합의 일차적인 임무다. 대부분 협동조합을 하는 사람들은 협동조합이 차별성을 띤 사업체이고, 이러한 이중목적을 지닌 특성이 조합원의 충성심과 지지를 얻고 있다는 믿음을 갖고 있다.

그러면서도 경제적 목표와 사회적 목표 간의 균형을 유지하는 것이 결코 쉽지 않다고 말하기도 한다. 하지만 세계적으로 협동조합 이중성의 균형을 유지하는 지속적인 노력의 끈을 놓지 않고 협동조합을 운영하는 사람들이 계속 늘어나고 있어 사회적 경제에 희망이 보인다.

4
55

一人

일인일표 마을

/

협동조합은 1인1표의 민주적인 지배구조다

일반기업의 의사결정은 주식의 소유량에 의해 지배되지만 협동조합은 조합원 '1인1표' 주의에 의한 민주적인 지배구조를 형성한다.

오늘날 자본주의의 폐해가 심각해지면서 협동조합의 역할과 중요성은 더욱 커지고 있다. 그러나 자본주의 시장경제에서 대규모 자본과 권력으로 무장한 기업과 경쟁해야 하는 협동조합 경영은 어려운 과제가 아닐 수 없다. 급변하는 시장구조와 제도적 불확실성 속에서 협동조합은 정체성 유지와 생존의 갈림길에서 끊임없이 고민하고 갈등한다.

공동의 염원을 실현하고자 자발적으로 모인 결사체 협동조합의 강점은 무엇보다 조합원의 참여에 의한 다양한 자원을 동원할 수 있다는 점이다. 따라서 조합원의 자발성이 최대한 발휘되는 가운데 조합원은 각자 지닌 역량을 협동조합 운영에 아낌없이 제공할 책임과 의무가 있다.

一勞如使

노사일여 마을

/

노(勞)와 사(使)는 따로따로가 아니고 하나다

노사 문제는 노동자와 사용자 간에 임금, 근로시간, 복지, 해고, 기타 근로조건의 결정에 관한 주장의 불일치로 발생한다.

노사 간의 갈등이 심할 경우 노사분쟁이 일어나고 노사분쟁은 파업, 태업, 직장폐쇄 등 기타 행위와 노동쟁의로 이어져 사회문제를 야기한다.

우리나라는 1987년 이후 노사분쟁이 중요한 사회문제로 떠올랐으며 임금과 노동조건의 향상 외에 노동자의 경영참여가 중요한 쟁점으로 나타났다. 노사 간의 갈등 표출을 제도적으로 보장하고 표출된 갈등을 합리적으로 해소할 수 있을 때 비로소 노사 모두가 수용할 수 있는 개방된 시민사회의 안정이 이루어진다.

노사일여는 협동조합이 갖고 있는 강점이자 매력이다. 협동조합의 이중성과 일맥상통한다. 만약 협동조합에서 노사 문제가 사회적 갈등으로 번지면 그 협동조합은 이중성 유지의 끈을 이미 놓은 것으로 판단된다.

平貸
均借

146

대차평균 마을

/

대변합계와 차변합계는 일치한다

거래의 기록은 반드시 차변과 대변에 같은 금액이 기입되는 이중성을 갖는다. 아무리 많은 거래가 일어나더라도 정직한 경영은 계정 전체를 통한 차변 금액의 합계와 대변 금액의 합계가 반드시 일치한다. 이를 대차평균의 원리라고 한다.

협동조합은 목적의 이중성, 조합원의 이중성, 조직의 이중성, 운영원칙의 이중성, 자본의 이중성, 소유의 이중성, 협동조합 간의 이중성을 갖고 있다. 이처럼 이중성의 조화와 균형 유지를 위해서 관계성을 매우 중요시하는 협동조합은 운영 전반에 걸쳐 대차평균의 원리가 면면히 적용되고 있다.

小窗多明

소창다명 마을

작은 창으로 빛이 들어오니,
나로 하여금 오래 앉아 있게 한다

'小窓多明 使我久坐, 소창다명 사아구좌'.

추사 김정희가 제주도에서 오랜 귀양살이를 마치고 지금의 서울 용산 근처 한강이 내려다보이는 언덕에 초당을 짓고 살면서 쓴 현판이다. 풀이하면 '작은 창으로 밝은 볕이 많이 들어오니, 나로 하여금 오래 앉아 있게 하네'.

혼자 앉아 느끼는 이 정경은 참으로 아늑하고 포근하다. 빛이 많이 들어오는 넓은 창이 더 밝을 것 같지만, 작은 창으로 들어오는 빛이 더 밝고 정겹다. 밝음은 어둠이 가로막고 있을수록 더욱 절실하고 진정한 것이다. 그러니 작은 창에서 들어오는 빛이야말로 반갑고 고맙다.

장자도 빈방에 작은 빛이 들어오는 것을 깨달음으로 은유하지 않았던가. 그 빛을 받아들이려면 우선 깊은 어둠을 견디고 인식해야 한다. 당시 추사는 경제적인 어려움을 겪고 있었다. 그러니 그 빛이 더욱 각별하고 귀했다.

캄캄한 절망을 밀어내는 빛은 한 줄기면 충분하다. 얼마나 가치 있는 한 줄기인가. 가만히 앉아 작은 창으로 소통되는 우주의 모든 것들을 음미하는 장자 지풍의 장본인이 된다. 우리도 이 작은 창으로 들어오는 밝음을 즐길 수 있으면 그 또한 아름다운 삶 아니겠는가?

4
59

本立道生

본립도생 마을

/

기본이 서면 방법은 생긴다

창업을 이루었다고 해도 다시 한번 더 '본립도생'이다. 마을살이의 중요한 경험칙이기 때문이다.

기본은 무슨 일을 하기 위해 꼭 갖춰야 할 근본이고 문제가 생기면 되돌아와서 점검해야 할 바탕이다. 기본 없이 시작할 수는 있지만 결코 오래 갈 수 없다는 것이 인류역사가 주는 교훈이다. 기본이 바로 서면 나아갈 방법이 생긴다.

조직을 포함해서 모든 사물의 속성은 지속이다. 지속의 한 예가 진화다. 진화는 연속이자 비약이다. 이를테면 질 좋은 비약이 창조다. 질 좋은 비약을 놓치지 않기 위해 기록과 함께 하는 것이 기본의 하나다.

나름대로 기본을 갖추고 시작했다 하더라도 지속적으로 기본을 충실하게 다지는 일을 태만히 하면 결코 오래 갈 수 없다. 사회적 경제 활동의 주체가 되는 기초역량의 요소인 기초 자본 즉 사회적 자본은 지속적으로 확보되고 축적되어야 한다.

4
/
60

'주슨 거'가 이룬 삶의 전환

김경일 (사)푸른길 이사장

먼저, 희망이 살아있는 도시, 청량한 바람길과 맑은 물길이 돌고 햇살이 가득 넘치는 공동체를 이루는 징검돌이 될 《마을살이 창업 60경》 발간을 축하드린다.

삶의 전환점이 된 '창업 60경'을 만난 것은 일생일대의 행운이었다.

20여 년 이상을 손수 새긴 판화와 사자성어를 통해 공동체의 면면을 보여주시고 쉽게 풀어서 살아있는 공부를 이끌고 계신 모닥 최봉익 선생님이 밑자리를 깔아주어 더 그랬을까. 모닥 선생님도 그동안 해 오신 작업들을 모아 총화한 '창업 60경'으로 기꺼이 후배들에게 아낌없이 내어주는 자리였다.

지난해 지역의 공동체에서 땀 흘려 활동하고 있는 이들이 함께 머리를 맞대어 모인 공부자리는 또 다른 의미로 다가왔다.

"혹시 'JSG'가 무엇인지 아시는가요?"

뜬금없이 묻는 모닥 최봉익 선생님의 질문에 '창업 60경'에 참여한 우리들은 즉답을 못했다.

선생님은 '창업 60경'까지 오게 된 연유가 '주슨 거'에서부터라며 이야기를 풀어놓았다.

"헌 신문 한 장을 주웠습니다. 먹음직스런 파인애플이 엽서 크기로 실린 지역신문이었습니다. 자세히 들여다보니 파인애플이 아니고 '전라좌도 광주'라는 광주 고지도였습니다. 이 고지도의 유별난 모습에서 문화면 아닌 신문 1면 제호 바로 밑에 이 고지도를 실은 이 신문 편집국장의 의중을 알 것만 같았습니다. 21년 전 일입니다. 이 고지도를 족자로 만들어 거실에 걸었습니다. 쳐다볼 때마다 광주를 한 바퀴 산책하는 맛이 났습니다. 이것이 창업경 작성의 실마리입니다."

당신의 삶의 전환점이 되었던 헌 신문의 고지도가 새롭게 빛을 얻어 마을공동체의 중요한 메시지를 담은 것으로 거듭나서 감사하게도 우리에게 왔다는 말씀이다. 'JSG' 즉 '주슨 거'도 소중하다.

공부는 '예실구야(禮失求野) 광주'부터 '본립도생(本立道生)'까지 선생님이 작업한 판화 60개를 두고, 공동체 관련 활동가들이 돌아가면서 발제를 했다. 이어진 토론도 빼놓을 수 없다. 각각의 발제도 좋았고, 토론도 좋았다.

"정(正)-반(反)-합(合)으로 지양(止揚)하고, 알(알기)-토(토론)-리(정리)로 연찬(研鑽)하고, 계(計)-실(實)-평(評)으로 지속(持續)하면 창업의 생존권을 누리는 일이다."

'창업 60경'에 들어 있는 모닥 선생님의 말씀 중 한 대목이다.

공부를 하는 과정 중에 선생님은 여러 번 "제가 본 관점과 다른 것을 이 공부를 통해 배운 계기가 되어서 참말로 오집니다"를 반복해서 말씀하시곤 했다. 그러나 함께 참여한 이들이 더 오진 꼴을 보았다.

'창업 60경'에서 맡아서 발제할 부분을 준비를 하면서 선생님의 생각자리를 견주어 보았던 것도 다시없는 공부가 되었다. 발표 뒤에 동료와 선후배님들은 토론과정에서 다시 여러 관점들과 생각자리들을 보여주었다. 그러면서 한번 더 자신의 생각자리를 되돌아보는 진짜배기 공부가 이루어졌다.

길다면 길고 짧다면 짧은 공부를 통해 얻은 더 중요한 것이 있었다. 바로 우리의 삶을 영위하고 있는 마을공동체를, 인문학적인 뜨거운 소통을 통해 하나의 목소리로 조율을 해 본 첫 자리가 되었다는 것이다.

도시재생과 마을공동체와 사회적 경제와 지속가능한 발전 등등 제각각 펼쳐지고 있는 마을공동체의 여러 발전적인 생각들이 이 자리에서 논의되고 다시 수렴되었다. 그러면서 새로운 공동체에 대한 생각들이 활발하게 소통이 되는 계기가 되었다.

비로소 마을공동체의 언어가 하나로 되고, 말이 하나로 다시 초점이 맞춰지는 자리가 된 것이다. 서로 제각각의 언어와 생각만을 고집하며 불통이 되는 아비규환의 바벨론 광주가 아닌, 풀 냄새 사람 냄새 나는 도시가 되는 새싹들을 이번 공부에서 확인할 수 있었음은 큰 기쁨이었다.

혹시 이 귀한 책을 받게 되는 행운의 주인공이 당신이라면, 당신은 공동체를 이끌어갈 중요한 사람임에 틀림없다.

이 책을 펼쳐서 먼저 자신의 생각을 갈무리해서 찬찬히 정-반-합 과정을 따라가다 보면, 어느새 당신이 그려나갈 공동체의 주인공으로 서 있을지도 모른다.

햇빛이 찰랑거리고, 초록생명의 기운이 넘실거리고, 공동체의 이웃들과 정다운 마음이 오가고, 아이들의 웃음소리가 가득한 마을을 이뤄가고 있을지도 모른다.

'깨달음의 실천가'로 거듭나게

· · ·

안평환 광주광역시 도시재생공동체센터 대표이사

지난해 광주에서 창업 60경을 공부하는 학습공동체가 열렸다. 각기 다른 삶을 사는 17명이 공동체의 가치를 나누기 위해 3개월 동안 매주 진행한 학습동아리였다.

함께 한 우리는 학습공동체를 통해 '깨달음의 대중화'에 머무르지 않고 '깨달음의 실천가'로 변모해 갔다. 따로따로가 아니고 하나가 되어 《달팽이에게 길을 묻다 - 창업 60경》을 발간하였지만, 아쉽게도 미완의 말 걸기에 그쳤던 습작이었다.

그 토대 위에 더 깊고 넓게 공동체를 담아낸 최봉익 선생님의 《마을살이 창업 60경》은 '창업 60경'의 진수가 녹아 있는 완결판이라 생각한다. 광주의 공동체에 국한되지 않고 방방곡곡의 리빙랩(Living Lab)을 통한 사회혁신, 좋은 거버넌스, 4차 산업혁명시대 로봇과 인간이 공존하는 시대를 살아가야 할 우리들에게 희망의 메시지를 전해 줄 것이라 믿는다.

'창업 60경' 사자성어를 묵상하는 즐거움

강권 광주역 도시재생현장지원센터장

저는 매일 '미래를 잇는 발걸음 잇다'라는 카페를 방문하는 즐거움으로 살고 있습니다.

그곳에서 저는 최봉익 선생님을 '대장님'이라고 부르고 있습니다. '잇다'는 삶의 현장인 도시의 골목 등을 답사하는 모임으로 그곳의 골목대장님이시기 때문입니다.

대장님과의 인연은 2007년부터 함께 하였던 '잇다'라는 답사 모임이 계기였는데 벌써 13년이 훌쩍 넘었습니다. 대장님은 답사 때마다 시류에 맞는 사자성어 하나 이상을 골라 판화를 만들어 우리에게 연찬하게 하셨습니다. 그뿐만 아니라 카페에도 수시로 올려 주셨습니다. 저는 매일 그 사자성어를 목마른 사슴이 물을 찾듯 기다리고 묵상하며 댓글 다는 것을 즐겨합니다. 이때마다 시나브로 건강한 마음이 샘솟는 것을 느낍니다.

대장님은 창업이란 "자기가 하고자 하는 사업의 기초를 스스로 세우는 일"이라고 말씀하십니다. 저는 여기에서 '일이란 무엇일까?'에 대하여 묵상해 보았습니다.

일이란 무엇일까? 놀이와 어떤 관계가 있을까? 일은 우리가 삶을 지속하기 위한 생산 수단이고, 놀이는 생산 향상과 더불어 일을 지속가능하게 하는 원

동력이라고 생각되어졌습니다. 그래서 저는 이 놀이 중의 하나로 '창업 60
경' 등 대장님의 사자성어를 묵상하는 놀이를 선택하였습니다.

최근에 대장님께서 카페에 올린 판화 사자성어 하나를 소개하면 '여조삭비
如鳥數飛'입니다.

"새가 알에서 깨어 나와 깃에 털이 나면서부터 자꾸 나는 연습을 하듯이,
시간을 내어 틈틈이 자꾸 익혀야 한다"는 뜻이라고 합니다.

이런 귀한 말씀들을 새기는 놀이가 참 재미있습니다. 이를 나누는 시간은
더욱 즐겁습니다.

더 따뜻한 공동체로 나아갈 길잡이

⋮

이종국 광주 사회적경제지원센터장

코로나로 인해 동고동락하던 이웃과 지인들과의 사회적 거리두기를 강요 당하면서 우리가 너무나도 당연하게 누려왔던 공동체 활동들이 제약을 받는 이때, 마을살이의 지혜를 담은 인문학 책을 접하게 되어 반갑다.

코로나로 인한 일상생활의 불편함을 넘어 그간 우리 공동체를 지탱해 오던 사회·경제활동의 기반이 심각하게 무너지고 있다는 위기의식을 느끼고 있을 때, 마을공동체의 지속성을 담보할 수 있는 실용서를 만나게 되어 고맙다.

광주 마을공동체의 산 증인이자 어른인 저자는 공동체 관련 마을활동가들 과의 학습동아리 과정을 《마을살이 창업 60경》에 담아내어, 마을에서의 창 조적 활동을 위한 지침서로 풀어내었다.

이 인문학적 창업·실용·지침서가 마을에서 함께 알고, 토론하고, 정리하는 알토리 학습 동아리활동으로 각자의 재능과 능력을 발휘하는 지혜를 얻고, 더불어 더 따뜻한 공동체를 위한 사회적 경제 일터와 일자리를 만들어 내는 길잡이가 되기를 기대해 본다.

모닥 최봉익이 판화로 엮은

마을살이 창업 60경

초판 1쇄 발행일 2020년 8월 31일

지은이   최봉익
펴낸이   황풍년
편집   남신희
디자인   발해그래픽스
펴낸 곳   전라도닷컴

출판등록   2002.1.16 제2002-1호
주소   광주광역시 북구 삼정로 87번길 20(두암동 925-15)
대표전화   062-654-9085
홈페이지   www.jeonlado.com
출력   건우사
인쇄   대신인쇄

ISBN   979-11-85516-26-4